C000186993

Livre de recettes Healthy Smoothies

50 RECETTES DÉLICIEUSES POUR RÉDUIRE VOTRE NIVEAU DE SUCRE SANGUIN

Alexia Robert

Avertissement

Les informations contenues dans i sont destinées à servir de collection complète de stratégies sur lesquelles l'auteur de cet eBook a effectué des recherches. Les résumés, stratégies, trucs et astuces ne sont que des recommandations de l'auteur, et la lecture de cet eBook ne garantira pas que les résultats refléteront exactement les résultats de l'auteur. L'auteur de l'eBook a fait tous les efforts raisonnables pour fournir des informations actuelles et exactes aux lecteurs de l'eBook. L'auteur et ses associés ne seront pas tenus responsables de toute erreur ou omission involontaire qui pourrait être trouvée. Le contenu de l'eBook peut inclure des informations provenant de tiers. Les documents de tiers comprennent les opinions exprimées par leurs propriétaires. En tant que tel, l'auteur de l'eBook n'assume aucune responsabilité pour tout matériel ou avis de tiers.

table des matières

introduction

Une recette de smoothie est une boisson à base de fruits et / ou de légumes crus en purée, à l'aide d'un mélangeur. Un smoothie a souvent une base liquide telle que de l'eau, du jus de fruits, des produits laitiers, comme du lait, du yogourt, de la crème glacée ou du fromage cottage.

1. smoothie vert

INGRÉDIENTS

- 1 avocat moyen surgelé
- 1 tasse d'épinards emballés
- 1 tasse de banane surgelée tranchée
- 1 cuillère à soupe de lin moulu
- 1/4 tasse de fleurons de chou-fleur surgelés
- 3 dattes Medjool dénoyautées
- 1,25 tasse de lait d'amande non sucré (ou plus, au goût)

INSTRUCTIONS

1. Placez tous les ingrédients de votre smoothie vert dans un mélangeur à grande vitesse ou Vitamix et mélangez jusqu'à consistance lisse.

2. meilleur smoothie aux fraises

INGRÉDIENTS

- tasses de fraises entières surgelées
- 1/2 banane moyenne
- 1/2 tasse de yogourt grec nature sans gras
- 1 tasse de jus d'orange 100%

INSTRUCTIONS

1. Placez tous les ingrédients dans un mélangeur à grande vitesse et mélangez à puissance élevée jusqu'à consistance lisse.
2. Possibilité d'ajouter un peu plus de jus d'orange en fonction de l'épaisseur / minceur de vos smoothies.
3. Sers immédiatement.

3. smoothie au beurre d'arachide et aux bananes

INGRÉDIENTS

- 2 tasses de bananes tranchées surgelées
- 1/2 tasse de yogourt grec sans gras
- 1/2 cuillère à soupe de graines de lin moulues
- 1 tasse de lait d'amande non sucré
- 1 cuillère à café d'extrait de vanille
- 2 cuillères à soupe de beurre d'arachide entièrement naturel

INSTRUCTIONS

1. Placez tous les ingrédients dans un mélangeur à grande vitesse.
2. Mélanger jusqu'à ce qu'il soit lisse. Ajoutez plus de lait d'amande au besoin.
3. Sers immédiatement.

4. smoothie aux fraises, aux bananes et aux épinards

INGRÉDIENTS

Pour les sachets de smoothies pour la préparation des repas

- 2 tasses de bananes tranchées surgelées
- 2 tasses de fraises entières surgelées
- 4 tasses d'épinards frais
- 4 cuillères à café de graines de chia

Pour servir (pour 1 portion)

- 2 cuillères à soupe de poudre de protéine de vanille (tout type)
- 1/2 tasse de lait d'amande non sucré

INSTRUCTIONS

Pour le sac

1. Tout d'abord, tapissez une plaque à pâtisserie de papier sulfurisé. Ensuite, étalez uniformément 2 tasses de bananes tranchées, 2 tasses de fraises entières. Placer au congélateur pendant environ 2 heures ou jusqu'à ce qu'ils soient complètement

congelés.

2. Ensuite, prenez des sacs de congélation de 4 litres et écrivez la date et le smoothie vert fraise et banane sur le devant. Ajoutez 1 tasse de fruits surgelés, une poignée d'épinards et une cuillère à café de graines de chia dans chaque sac.

3. Avant de sceller, assurez-vous de faire sortir le plus d'air possible pour éviter que le congélateur ne brûle. Sceller et placer au congélateur pour une utilisation ultérieure.

Pour mélanger (pour 1 portion)

4. Une fois que vous êtes prêt à mélanger, videz le contenu du sac de smoothie aux épinards dans un mélangeur à grande vitesse.

5. Ensuite, ajoutez environ 1/2 tasse de lait d'amande et 2 cuillères à soupe de votre poudre protéinée préférée.

6. Mélanger à puissance élevée pendant environ 1 minute ou jusqu'à ce que tout soit mélangé.

5. smoothie aux trois baies

INGRÉDIENTS

- tasses de mélange triple baies surgelé
- 1 banane moyenne surgelée
- 1/2 cuillère à soupe de graines de chia
- 1/4 tasse de poudre de protéine de vanille
- 1,25 tasse de lait d'amande non sucré

INSTRUCTIONS

2. Placer tous les ingrédients dans un mélangeur à grande vitesse et mélanger jusqu'à consistance lisse.

6. Shake protéiné à la banane saine

INGRÉDIENTS

- $\frac{3}{4}$ tasse de yogourt grec sans gras, congelé en cubes
- 2 tasses de bananes tranchées surgelées
- 1 cuillère à café d'extrait de vanille
- $\frac{1}{4}$ tasse de poudre de protéine de vanille (nous avons utilisé la protéine organique crue Garden of Life)
- 2 tasses de lait, de tout type (nous avons utilisé du lait d'amande vanille non sucré Almond Breeze)

INSTRUCTIONS

1. Tout d'abord, congelez $\frac{3}{4}$ tasse de yogourt grec sans gras dans un bac à glaçons.
2. Une fois que le yogourt grec est complètement congelé, placez tous les ingrédients pour un shake sain à la banane dans un mélangeur à grande vitesse.
3. Mélanger jusqu'à consistance lisse et servir avec vos garnitures préférées.

7. smoothie aux fraises et bananes avec beurre d'arachide

INGRÉDIENTS

- 1 tasse de fraises surgelées
- 1 tasse de banane tranchée surgelée
- 1/4 tasse de yogourt grec nature sans gras
- 2 cuillères à soupe de beurre d'arachide crémeux entièrement naturel
- 1 cuillère à soupe de graines de lin moulues
- 1 cuillère à café d'extrait de vanille
- 1 tasse de lait d'amande non sucré

INSTRUCTIONS

1. Placer tous les ingrédients dans un mélangeur à grande vitesse et mélanger jusqu'à consistance lisse.
2. Servir avec un filet de beurre d'arachide et de fruits frais.

8. smoothie à la citrouille et aux baies

INGRÉDIENTS

- 2 cuillères à soupe de purée de potiron
- 1 cuillère à soupe de beurre de cajou
- 1 tasse de bleuets surgelés
- 1/2 banane surgelée
- 1/2 cuillère à soupe de farine de graines de lin
- 1/2 cuillère à café d'épices pour tarte à la citrouille
- 1 tasse de lait d'amande, non sucré

INSTRUCTIONS

1. Placer tous les ingrédients dans un mélangeur à grande vitesse et mélanger à puissance élevée jusqu'à consistance lisse.
2. Grattez les parois du mixeur et ajoutez du lait d'amande supplémentaire (1 cuillère à café à la fois) si le smoothie est trop épais. Mélanger jusqu'à consistance lisse.
3. Servir avec du granola maison ou des

garnitures aux fruits et savourer!

9.Le meilleur shake protéiné au chocolat

INGRÉDIENTS

- 1 tasse de bleuets surgelés
- 1 banane moyenne surgelée
- 1/4 tasse de poudre de protéine de chocolat (tout type!)
- 1 cuillère à soupe de cacao en poudre
- 1/4 tasse de yogourt grec sans gras
- 2 cuillères à soupe de beurre de cajou
- 1/2 cuillère à soupe de graines de lin moulues
- 1 tasse de lait d'amande nature non sucré

INSTRUCTIONS

1. Placez tous les ingrédients dans un mélangeur à grande vitesse.
2. Mélanger à puissance élevée pendant environ 1 minute, en s'arrêtant pour gratter les côtés. Vous devrez peut-être ajouter plus de lait pour éclaircir au besoin.
3. Sers immédiatement!

10.Le meilleur smoothie à la citrouille

INGRÉDIENTS

- 2 bananes moyennes surgelées
- 1/2 tasse de purée de citrouille non sucrée
- 3/4 tasse de café, froid (je viens d'utiliser les restes du pot du matin!)
- 3/4 tasse de lait, tout type
- 1/2 cuillère à café d'épices pour tarte à la citrouille
- 1 cuillère à café de sirop d'érable

INSTRUCTIONS

1. Placez tous les ingrédients dans un mélangeur à grande vitesse.
2. Mélangez à puissance élevée pendant environ 1 minute, en vous arrêtant pour gratter les côtés si nécessaire.
3. Servir immédiatement avec votre garniture fouettée préférée.

11. Shake protéiné à la fraise et à la banane

INGRÉDIENTS

- 1,5 tasse de fraises entières surgelées
- 1/2 tasse de banane tranchée surgelée
- 1/4 tasse de poudre de protéine de vanille (tout type fonctionnera)
- 1/3 tasse de yogourt grec sans gras
- 1 tasse de lait d'amande non sucré
- Garniture facultative: biscuits Graham concassés

INSTRUCTIONS

1. Placer tous les ingrédients dans un mélangeur à grande vitesse et mélanger jusqu'à consistance lisse. Ajoutez plus de lait d'amande au besoin selon vos préférences.

12 Smoothie aux bleuets et aux bananes

INGRÉDIENTS

- 1 tasse de bleuets surgelés
- 1 tasse de bananes tranchées surgelées
- 1 cuillère à soupe de farine de lin
- 1 tasse de lait d'amande non sucré
- 1 cuillère à café d'extrait de vanille

INSTRUCTIONS

1. Placer tous les ingrédients dans un mélangeur à grande vitesse et mélanger jusqu'à consistance lisse.

13.Starbucks Mocha Frappuccino

Ingrédients

- 1 tasse de café noir fort refroidi
- 1/2 banane moyenne coupée en morceaux et congelée
- 2 cuillères à soupe de cacao en poudre non sucré
- 2 cuillères à soupe de graines de chia Bob's Red Mill
- 1 cuillère à soupe d'agave léger plus supplémentaire au goût
- 2 cuillères à café d'extrait de vanille pure
- Glace
- En option pour servir: crème fouettée crème de coco fouettée, copeaux de chocolat, sirop de chocolat ou mini pépites de chocolat

Instructions

1. Mélangez le café, la banane, la poudre de cacao, les graines de chia, l'agave et l'extrait de vanille dans le fond d'un mélangeur.

2. Mélangez jusqu'à consistance lisse, environ 30 secondes selon votre mélangeur, puis ajoutez une petite poignée de glaçons, en mélangeant jusqu'à ce que le mélange devienne épais. Continuez à ajouter des glaçons jusqu'à ce que vous atteigniez la consistance désirée (j'aime le mien assez épais). Versez dans un verre. Garnir selon vos envies et savourer immédiatement.

14. Smoothie vert au beurre d'arachide

INGRÉDIENTS

- 2 tasses de bananes surgelées tranchées
- 3 cuillères à soupe de beurre d'arachide entièrement naturel
- 2 cuillères à soupe d'arachides salées
- tasses de lait d'amande non sucré
- 1 tasse d'épinards, emballés

INSTRUCTIONS

2. Placez tous les ingrédients de votre smoothie dans un mélangeur à grande vitesse.
3. Mélanger à puissance élevée pendant 1 à 2 minutes ou jusqu'à consistance lisse. Possibilité d'ajouter plus de lait d'amande pour éclaircir les choses au besoin.
4. Garnir de votre garniture préférée, comme du beurre d'arachide et des arachides grillées.

15 Smoothie à la banane et au matcha

INGRÉDIENTS

- 1 tasse de tranches de banane, congelées
- 1 cuillère à café de poudre de matcha (nous utilisons celui-ci de Matcha Reserve)
- 1 tasse d'épinards frais, emballés
- 2 cuillères à café de graines de lin
- 1 cuillère à café d'extrait de vanille
- 3/4 tasse de lait d'amande non sucré (ou plus si nécessaire)

INSTRUCTIONS

1. Placer tous les ingrédients dans un mélangeur et mélanger jusqu'à consistance lisse.

16 Smoothie protéiné aux dattes au chocolat noir

INGRÉDIENTS

- 2 bananes surgelées, moyennes
- 3 dattes medjool, dénoyautées
- 1 tasse de chou frisé, désossé et haché
- 3 cuillères à soupe de poudre de cacao noir
- 1/2 cuillère à café d'extrait de vanille
- 1 tasse de lait de noix de votre choix

INSTRUCTIONS

1. Placez tous les ingrédients dans un mélangeur à grande vitesse et mélangez jusqu'à consistance lisse.

17 Smoothie crémeux aux graines de chia et aux fraises

INGRÉDIENTS

- 1 tasse de fraises surgelées
- 1 banane moyenne
- 1/2 tasse de yogourt grec nature sans gras
- 1 tasse de lait d'amande, non sucré
- 1/2 cuillère à café d'extrait de vanille
- 1 cuillère à soupe de graines de chia

INSTRUCTIONS

1. Placez tous les ingrédients dans un mélangeur ou un Magic Bullet et mélangez jusqu'à consistance lisse! Laisser reposer quelques minutes pour que les graines de chia puissent faire leur magie (se dilater et devenir visqueuses). Prendre plaisir!

18 Smoothie à la banane

INGRÉDIENTS

- 2 tasses de bananes tranchées surgelées
- 1/2 tasse de yogourt grec nature sans gras
- 1/2 cuillère à soupe de graines de lin moulues
- 1 tasse de lait d'amande nature non sucré
- 1 cuillère à café d'extrait de vanille

INSTRUCTIONS

1. Placer tous les ingrédients dans un mélangeur à grande vitesse et mélanger à puissance élevée jusqu'à consistance lisse. Possibilité d'ajouter plus de lait d'amande au besoin.

19.Bol à smoothie vert à la grenade + voyages à venir

INGRÉDIENTS

- 1/2 tasse de fraises surgelées
- 1 banane congelée, moyenne
- 1 tasse de chou frisé frais, emballé
- 1/2 tasse de yogourt grec
- 1/2 tasse de jus de grenade
- 1/2 tasse d'eau
- 1 cuillère à soupe de poudre de protéine de vanille (tout type!)
- garnitures: graines de chanvre, arilles de grenade, pistaches et chocolat noir

INSTRUCTIONS

1. Placer tous les ingrédients dans un robot culinaire à grande vitesse et mélanger jusqu'à consistance lisse. Vous devrez peut-être ajouter un peu plus de jus de grenade en fonction de l'épaisseur de vos smoothies.

20.Bol à smoothie aux pommes

INGRÉDIENTS

- 1 banane surgelée, petite
- 1/2 tasse de yogourt grec à la vanille sans gras *
- 2/3 tasse de compote de pommes, non sucrée
- 1/4 tasse de flocons d'avoine **
- 1 cuillère à café de cannelle
- 1 cuillère à café d'extrait de vanille
- 1/2 tasse de lait d'amande, non sucré
- facultatif: une poignée d'épinards ou de chou frisé frais

INSTRUCTIONS

1. Placez tous les ingrédients dans un mélangeur à grande vitesse. Mélanger jusqu'à consistance lisse.
2. Servir avec beaucoup de fixations sur le dessus!

21. Smoothie aux épinards et aux bleuets

INGRÉDIENTS

- 1 grosse banane
- 1 tasse de yogourt grec sans gras
- 1 tasse de bleuets frais
- 2 tasses d'épinards emballés
- 1 tasse de jus d'orange 100%
- 1 cuillère à café de gingembre frais, pelé et râpé
- 2 à 3 tasses de glace

INSTRUCTIONS

1. Placer tous les ingrédients dans un mélangeur à grande vitesse et mélanger jusqu'à consistance lisse.

22. Smoothie protéiné au beurre d'arachide et à la gelée

INGRÉDIENTS

- 1 tasse de baies surgelées mélangées
- 1 à 2 cuillères à soupe de beurre d'arachide entièrement naturel
- 1/4 tasse de poudre de protéine de vanille (nous adorons Organic Valley) *
- 2 cuillères à soupe de flocons d'avoine
- 1 tasse de lait, tout type

INSTRUCTIONS

1. Placer tous les ingrédients dans un mélangeur et mélanger jusqu'à consistance lisse.

23 Smoothie aux pommes

INGRÉDIENTS

- 2 4 onces. coupelles de compote de pommes, surgelées *
- 1 tasse de lait d'amande non sucré (ou tout type de lait)
- 2 cuillères à soupe de flocons d'avoine
- 2 cuillères à soupe de beurre de noix (tout type)
- 1 cuillère à café de graines de lin moulues
- 1 cuillère à café de sirop d'érable
- 1/4 cuillère à café de cannelle moulue

INSTRUCTIONS

1. Tout d'abord, congelez 2 4 oz. tasses de compote de pommes pendant au moins 2 heures ou toute la nuit.
2. Une fois congelés, passez les coupelles de compote de pommes sous l'eau chaude pendant quelques secondes pour les retirer du plastique. Ensuite, placez-le dans un mélangeur à grande vitesse.

3. Ajouter le reste des ingrédients et couvrir.
4. Mélanger à puissance élevée pendant environ une minute ou jusqu'à consistance lisse.

24. Smoothie à la fraise et à l'ananas

INGRÉDIENTS

- tasses de morceaux d'ananas surgelés
- tasses de fraises surgelées
- 1/2 tasse de yogourt grec à la vanille
- 1 cuillère à café d'extrait de vanille
- tasses de lait d'amande, non sucré (ou plus au goût)

INSTRUCTIONS

1. Placez tous les ingrédients de votre smoothie aux fraises et à l'ananas dans un mélangeur à grande vitesse.
2. Mélanger jusqu'à ce qu'il soit lisse. Selon le degré de congélation de vos fruits, vous devrez peut-être ajouter plus de lait d'amande.
3. Servir avec des morceaux d'ananas frais supplémentaires sur le fond.

25 Smoothie crème glacée à l'orange magique

INGRÉDIENTS

1. 1 tasse de tranches de banane surgelées
2. 1 cuillère à café d'extrait de vanille
3. 1 tasse de jus d'orange 100%
4. facultatif: 1/2 tasse de glace
5. facultatif: 1 cuillère à soupe de poudre de protéine de vanille, crème fouettée à la noix de coco, zeste d'orange

INSTRUCTIONS

1. Placer les bananes congelées, l'extrait de vanille et le jus d'orange dans un mélangeur à grande vitesse et mélanger jusqu'à consistance lisse.
2. Option à ce stade pour ajouter une poignée de glace (selon la préférence d'épaisseur) et / ou d'autres compléments tels que la poudre de protéine de vanille et le zeste d'orange frais.
3. Mélangez encore une fois et servez immédiatement.

26. Smoothie au chocolat et au beurre d'arachide

INGRÉDIENTS

- 2 tasses de bananes surgelées tranchées
- 3 cuillères à soupe de beurre d'arachide crémeux entièrement naturel
- 1/4 tasse de cacao en poudre
- 1 cuillère à soupe de graines de lin moulues
- 1 tasse d'épinards emballés
- 1 tasse de lait d'amande

INSTRUCTIONS

1. Retirez les bananes congelées du congélateur et placez-les dans un mélangeur à grande vitesse.
2. Ensuite, ajoutez le reste des ingrédients dans le mélangeur et mélangez jusqu'à consistance lisse.
3. Si le smoothie est trop épais, ajoutez lentement une cuillère à soupe de lait d'amande à la fois jusqu'à ce que le smoothie atteigne la consistance désirée.

27 Bols à smoothie aux dattes et aux bleuets

INGRÉDIENTS

- ❖ 1 banane, congelée
- ❖ 1 tasse de bleuets, congelés
- ❖ 2 dattes medjool
- ❖ 1 cuillère à soupe de graines de chia
- ❖ 1 tasse de lait d'amande, non sucré
- ❖ facultatif: 1 cuillère à soupe de poudre de protéine de vanille
- ❖ Garnitures: dattes medjool, kiwi, myrtilles, noix de coco en flocons et graines de chia

INSTRUCTIONS

1. Placer tous les ingrédients dans un mélangeur à grande vitesse et mélanger jusqu'à consistance lisse. Garnir de dattes medjool hachées, de kiwi, de myrtilles, de noix de coco en flocons et de graines de chia.

28. Smoothie à la mangue

INGRÉDIENTS

- 2 tasses de tranches de mangue surgelées
- 1 15 onces. peut allumer du lait de coco
- 1/2 cuillère à soupe de farine de lin
- 1 grosse banane surgelée

INSTRUCTIONS

1. Placez tous les ingrédients dans un mélangeur à grande vitesse.
2. Mélanger jusqu'à ce qu'il soit lisse.
3. Mangez immédiatement.

29. Smoothie au chou frisé

INGRÉDIENTS

- 2 tasses de bananes surgelées
- 2 tasses de chou frisé haché
- 1 cuillère à soupe de farine de lin
- 2 dattes Medjool, dénoyautées
- facultatif: 1/2 cuillère à café de gingembre frais râpé
- tasses de jus d'orange

INSTRUCTIONS

1. Placez tous les ingrédients dans un mélangeur à grande vitesse.
2. Mélanger jusqu'à ce qu'il soit lisse. Possibilité d'ajouter plus de jus d'orange au besoin pour éclaircir les choses.
3. Servir le smoothie immédiatement et garnir de vos garnitures préférées.

30 Smoothie à la mangue et au lait d'or

Ingrédients

- 1 cuillère à café de curcuma (vous pouvez totalement le laisser de côté si vous voulez un smoothie à la mangue nature!)
- Mangue surgelée 1 tasse
- $\frac{3}{4}$ tasse de yogourt de toute sorte
- 1 banane surgelée ou 1 tasse de chou-fleur
- facultatif: éclaboussure de lait ou d'eau si vous avez besoin d'aide pour mettre le mixeur en marche

instructions

1. Dans un mélangeur à grande vitesse, mélanger tous les ingrédients et mélanger jusqu'à consistance lisse. Si nécessaire, ajoutez plus de liquide, une cuillère à soupe à la fois, pour faire fonctionner le mélangeur. J'aime mes smoothies sur le côté plus épais mais ajoutez un peu de lait / eau au besoin.
2. Servez et PROFITEZ!

31. Smoothie au gâteau aux carottes

Ingrédients

- 8 noix
- 1 grosse carotte, grossièrement hachée (ou râpée si vous n'avez pas de mixeur à grande vitesse)
- Carotte très finement râpée à mélanger, facultatif
- 1 cuillère à café de cannelle
- Saupoudrer de muscade fraîchement râpée est EXTRA délicieux
- 2 dattes dénoyautées
- ½ à 1 tasse de liquide, j'utilise généralement du lait non laitier, puis j'ajoute de l'eau si je veux un peu plus de liquide
- 1 cuillère à café de vanille
- ½ d'une banane congelée

instructions

1. Dans un mélangeur à grande vitesse, mélanger tous les ingrédients (moins la carotte

supplémentaire) jusqu'à ce qu'ils soient crémeux et lisses.

2. Si vous le souhaitez, ajoutez des carottes finement râpées supplémentaires (fortement recommandé!). Garnir de quelques noix hachées et PROFITEZ!

32 Smoothie vert pomme caramel

Ingrédients

- 1 pomme verte
- 2 poignées de légumes verts
- pincée de sel de mer
- 1 cuillère à soupe de graines de chanvre
- 1 banane congelée (pourrait laisser cela de côté mais sous pour quelques glaçons)
- lait d'amande (pourrait remplacer le jus de pomme pour un goût de pomme plus fort)
- saupoudrer de cannelle (ou quelques arrosages)
- 2 dattes dénoyautées
- Sauce caramel vegan de Pinch of Yum

instructions

1. Ajouter tous les ingrédients (moins le caramel) dans un mélangeur à grande vitesse et mélanger à puissance élevée.
2. Versez un peu de sauce au caramel autour de votre verre et versez le smoothie dans le

verre.

3. Garnir d'un peu plus de sauce au caramel et PROFITEZ!

4. Mangez une cuillerée de sauce caramel à la cuillerée;)

33. Smoothie à l'avoine

Ingrédients

- 1/4 tasse d'avoine à l'ancienne ou d'avoine rapide
- 1 banane coupée en morceaux et congelée
- 1/2 tasse de lait d'amande non sucré
- 1 cuillère à soupe de beurre d'arachide crémeux
- 1/2 cuillère à soupe de sirop d'érable pur et plus au goût
- 1/2 cuillère à café d'extrait de vanille pure
- 1/2 cuillère à café de cannelle moulue
- 1/8 cuillère à café de sel casher ne sautez pas cela, car cela fait éclater les flocons d'avoine!
- Glace facultative, ajoutez à la fin si vous voulez un smoothie plus épais

Instructions

1. Placer les flocons d'avoine au fond d'un mixeur et battre plusieurs fois jusqu'à ce qu'ils soient finement moulus. Ajouter la

banane, le lait, le beurre d'arachide, le sirop d'érable, la vanille, la cannelle et le sel.

2. Mélanger jusqu'à consistance lisse et crémeuse, en s'arrêtant pour racler le mélangeur au besoin. Goûtez et ajoutez un édulcorant supplémentaire si vous souhaitez un smoothie plus sucré. Profitez immédiatement.

34. Shake aux dattes aux bleuets

Ingrédients

- ❖ 2 bananes moyennes coupées en morceaux et congelées (environ 8 onces ou 1 1/2 tasse de tranches)
- ❖ 1 tasse de bleuets surgelés environ 4 onces
- ❖ 3 dattes Medjool dénoyautées plus supplémentaires au goût
- ❖ 1 cuillère à soupe de beurre d'amande et plus au goût
- ❖ 1/2 cuillère à café d'extrait de vanille pure
- ❖ 1 tasse de lait d'amande Brise d'amande Vanille non sucrée
- ❖ 2-3 glaçons en option

Instructions

1. Placez la banane, les myrtilles, les dattes, le beurre d'amande, l'extrait de vanille et le lait d'amande dans un mélangeur puissant (si vous n'avez pas de mélangeur puissant, je vous recommande de mélanger d'abord le lait et la moitié des fruits surgelés, puis de ralentir

ajouter le reste des fruits et les ingrédients restants).

2. Mélanger jusqu'à consistance lisse. Si vous souhaitez que le shake soit un peu plus épais, ajoutez quelques glaçons et mélangez à nouveau. Goûtez et ajoutez du beurre d'amande supplémentaire si vous souhaitez que le shake soit un peu plus riche ou une autre date si vous le souhaitez plus sucré. Versez et savourez

35. Smoothie aux pieds

Ingrédients

- 1/2 tasse de lait d'amande non sucré ou de lait au choix
- 1 tasse de bleuets surgelés mélangés ou de baies mélangées
- 1 petite betterave pelée et coupée en dés (environ 8 onces)
- 1/4 tasse d'ananas surgelé
- 1/4 tasse de yogourt grec nature sans matières grasses utiliser du yogourt sans produits laitiers pour faire végétalien
- Édulcorant facultatif: 1 à 2 cuillères à café de miel et plus au goût (utilisez de l'agave pour faire du végétalien)
- Mélanges facultatifs: graines de chia graines de chanvre et / ou graines de lin moulues (j'aime le mien avec une pincée de chia ou de graines de chanvre; les graines de chanvre sont ce que vous voyez sur les photos); J'aime aussi ajouter 2 cuillères à soupe de flocons d'avoine pour rendre le smoothie encore plus copieux.

Instructions

1. Placez le lait d'amande, les myrtilles, la betterave, l'ananas et le yogourt grec dans un mélangeur à grande vitesse tel qu'un Vitamix (si vous n'avez pas de mélangeur à grande vitesse, je suggérerais de passer au micro-ondes, de rôtir ou de cuire légèrement les betteraves à la vapeur avant utiliser pour qu'ils soient plus doux et réduisent en purée plus en douceur).
2. Mélanger jusqu'à consistance lisse. Goûtez et si vous désirez un smoothie plus sucré, ajoutez un peu de miel ou de datte et mélangez à nouveau. A déguster immédiatement ou réfrigérer jusqu'à 1 jour.

36. Smoothie aux baies et au curcuma

Ingrédients

- 3/4 tasse de lait d'amande à la vanille non sucré ou de lait au choix
- 2 tasses de bébés épinards environ 2 grosses poignées
- 1/2 tasse de yogourt grec nature sans gras ou de yogourt sans produits laitiers au choix
- 3 cuillères à soupe de flocons d'avoine à l'ancienne
- 1 1/2 tasse de baies mélangées surgelées J'ai utilisé un mélange de mûres, de bleuets et de framboises
- 1/2 cuillère à café de curcuma moulu McCormick

- 1/4 cuillère à café de gingembre moulu McCormick
- 2 à 3 cuillères à café de miel ou remplacez l'agave ou le sirop d'érable pour le rendre végétalien, et en plus au goût

Instructions

1. Placez les ingrédients dans un mélangeur puissant dans l'ordre indiqué: lait d'amande, épinards, yogourt, avoine, baies, curcuma, gingembre et 2 cuillères à café de miel.
2. Mélanger jusqu'à consistance lisse. Goûtez et ajustez la douceur comme vous le souhaitez. Si vous n'avez pas de mélangeur puissant, je vous recommande de mélanger d'abord le lait d'amande, les épinards et le yogourt, puis d'ajouter les autres ingrédients. Profitez immédiatement.

37. Smoothie aux pommes et à l'avocat

Ingrédients

- 1 tasse de lait d'amande nature non sucré
- 4 tasses d'épinards peu emballés, soit environ 2 grosses poignées
- 1 avocat moyen pelé et dénoyauté
- 2 pommes moyennes de tout type que vous aimez, pelées, évidées et coupées en quartiers (si vous n'utilisez pas un mélangeur puissant comme un Vitamix, coupez-les en dés)
- 1 banane moyenne coupée en morceaux et congelée
- 2 cuillères à café de miel ou de sirop d'érable et plus au goût
- 1/2 cuillère à café de gingembre moulu ou 1/4 de pouce de gingembre frais (si vous n'utilisez pas un mélangeur haute puissance, émincer d'abord le gingembre; utilisez moins de 1/2 cuillère à café si vous souhaitez un goût plus subtil. Ce smoothie a un zip!)
- Petite poignée de glaçons

- Ajouts facultatifs: graines de chia, graines de lin, poudre de protéines, beurre d'amande ou autre beurre de noix de choix

Instructions

1. Dans l'ordre indiqué, ajoutez le lait d'amande, les épinards, l'avocat, les pommes, la banane, le miel, le gingembre et la glace dans un mélangeur puissant.

2. Mélanger jusqu'à consistance lisse. Goûtez et ajustez la douceur et les épices comme vous le souhaitez. Profitez immédiatement.

38 Smoothie aux pépites de chocolat et de noix de coco

INGRÉDIENTS

- 1 tasse de lait d'amande, de noix de cajou ou de coco non sucré
- 1/2 eau de coco (ou plus de lait)
- 1 à 2 cuillères à soupe de beurre de noix de coco ou de noix de coco congelée
- 1/2 à 1 tasse de riz au chou-fleur surgelé
- 1 cuillère à soupe de poudre de protéine de chocolat
- 1 cuillère à soupe de graines de chia
- 1/2 cuillère à soupe de cacao ou de cacao en poudre
- 4-5 feuilles de menthe fraîche ou 1-2 gouttes d'extrait de menthe poivrée
- 1 à 2 cuillères à café de graines de cacao
- granola, pour garnir (facultatif)

INSTRUCTIONS

1. Mélangez tous les ingrédients sauf les éclats de cacao et le granola dans un mélangeur

puissant.

2. Mélanger jusqu'à consistance lisse. Ajouter les éclats de cacao et mélanger encore quelques secondes. Versez dans un verre, saupoudrez de granola et de grains de cacao et dégustez!

39.Bol à smoothie aux baies de Maqui

INGRÉDIENTS

- 1 tasse de lait d'amande vanille non sucré
- 1 tasse de chou-fleur surgelé
- 1 tasse de bleuets surgelés
- 1 cuillère à soupe de beurre de noix de coco (le beurre d'amande fonctionne aussi)
- 2 cuillères à soupe de poudre de protéine de vanille
- 2 cuillères à soupe de poudre de baies sauvages de maqui
- garnitures au choix: baies de goji, granola maca superfood, éclats de cacao, noix de coco râpée non sucrée, graines de chia et fruits frais

INSTRUCTIONS

1. Ajouter les ingrédients dans un mélangeur puissant dans l'ordre indiqué et mélanger jusqu'à consistance lisse et crémeuse. Ajoutez plus de lait d'amande si vous voulez que la texture soit plus fine. Servir dans un

bol avec vos garnitures préférées.

40 Bouchées croustillantes au chocolat et aux amandes

INGRÉDIENTS

- 2/3 tasse de beurre d'amande (le beurre d'amande liquide provenant d'un pot frais fonctionne mieux) *
- 1/3 tasse de sirop de riz brun
- 3 tasses de céréales croustillantes de riz brun au chocolat (comme Nature's Path Koala Crisp)
- 1/4 tasse d'amandes hachées
- 1/8 tasse de grains de cacao ou de mini pépites de chocolat végétalien (facultatif)

INSTRUCTIONS

1. Versez le beurre d'amande et le sirop de riz brun dans un bol et mélangez.
2. Ajouter les céréales, les amandes et les éclats de cacao / pépites de chocolat si vous en utilisez. Remuer pour enrober uniformément. Cela peut prendre quelques minutes et l'utilisation de vos mains peut être utile. Si le mélange ne semble pas bien coller, vous pouvez ajouter du sirop de riz brun

supplémentaire (une cuillère à soupe à la fois).

3. Placez le bol à mélanger au réfrigérateur pour permettre au mélange de se préparer pendant 5 à 10 minutes. À l'aide de vos mains, prenez 1 à 2 cuillères à soupe du mélange et roulez en boules. Si vous rencontrez des problèmes, essayez d'utiliser les mains mouillées pour rouler les bouchées. Placer les bouchées sur du papier sulfurisé. Transférer les bouchées au réfrigérateur jusqu'au moment de servir. Prendre plaisir!

41. Smoothie au pamplemousse

INGRÉDIENTS

- 1 pamplemousse rouge Winter Sweets
- 2 tasses de morceaux d'ananas surgelés
- 1/3 tasse de yogourt grec
- 1 cuillère à soupe d'huile de coco
- 1/4 de pouce de gingembre frais
- segments de pamplemousse, baies et granola (pour garnir)

INSTRUCTIONS

1. Répartissez le pamplemousse dans un bol pour pouvoir récupérer tout le jus. Réserver 2-3 segments pour la garniture. Ajouter les segments de pamplemousse, le jus de pamplemousse, l'ananas congelé, le yogourt grec, l'huile de noix de coco et le gingembre frais dans un mélangeur puissant et mélanger jusqu'à consistance lisse. Goûtez et ajustez les ingrédients selon vos préférences. Si le smoothie est trop épais, vous pouvez ajouter un peu de lait non laitier.

2. Versez dans deux verres et dégustez. Ou servez dans un bol avec vos garnitures préférées - segments de pamplemousse, granola, baies, etc.

42. Smoothie aux patates douces pourpres Paléo [avec chou-fleur!]

INGRÉDIENTS

- 1 tasse de patate douce violette en cubes, précuite et congelée
- 1 tasse de riz au chou-fleur surgelé *
- 1 tasse de lait de coco non sucré **
- 1/2 cuillère à soupe de pâte de gingembre, ou 1
- 1 cuillère à café de poudre de maca
- 1 grosse datte Medjool ***, dénoyautée
- 1 cuillère à soupe de beurre de cajou

INSTRUCTIONS

1. Ajoutez tous les ingrédients dans le bol du mixeur.
2. Mélanger jusqu'à consistance lisse.
3. Ajoutez plus (ou moins) de liquide pour obtenir la consistance désirée. J'ai utilisé 1 tasse de lait et c'était assez épais. Ajoutez plus de liquide ou de lait à boire avec de la paille.

43. Smoothie protéiné à la citrouille thaïlandaise [pas de poudre!]

INGRÉDIENTS

- 1/3 tasse de blancs d'œufs 100% liquides All Whites
- 2 dattes Medjool dénoyautées (ou sous un autre édulcorant tel que 1/2 cuillère à soupe de sirop d'érable)
- 1/2 tasse de purée de citrouille * (option pour congeler en cubes)
- 1/2 cuillère à soupe de beurre de cajou
- 1 cuillère à café d'épices pour tarte à la citrouille **
- 1/2 cuillère à café de cardamome moulue
- 2/3 tasse *** de lait de cajou (ou de lait au choix)

INSTRUCTIONS

1. Mettre tous les ingrédients dans le bol mélangeur en commençant par les blancs d'œufs 100% liquides All Whites, en terminant par le lait de cajou. Voir les notes ci-dessous concernant la citrouille congelée

par rapport au frais et la quantité de lait nécessaire.

2. Mélanger jusqu'à consistance lisse.
3. Transférez le smoothie protéiné à la citrouille dans une tasse ou une tasse de voyage, profitez-en!

44 Smoothie crémeux aux agrumes et au gingembre

INGRÉDIENTS

- 2 oranges nombril, pelées et segmentées
- 1/2 tasse de lait de coco (ou de lait au choix)
- 1 cube de 1 " de gingembre frais, peau enlevée et hachée
- 1 tasse de glace

INSTRUCTIONS

1. Ajoutez tous les ingrédients dans le mélangeur - assurez-vous que vos oranges sont segmentées si vous préférez un jus d'orange plus sans pulpe. 2. Mélanger jusqu'à consistance lisse. Ajoutez plus de glace ou de liquide pour obtenir la consistance désirée.

45 Smoothie aux dattes et aux cerises et à la cannelle

INGRÉDIENTS

- 3/4 tasse de cerises rouges acidulées surgelées (assurez-vous qu'elles sont dénoyautées!)
- 1/4 tasse de bleuets surgelés
- 1/4 tasse de fraises entières surgelées
- 2 dattes Medjool, dénoyautées
- 3/4 tasse de lait de coco (ou liquide de choix, mais je suggère quelque chose de crémeux)
- 1 cuillère à café de cannelle moulue
- ½ cuillère à café de gingembre moulu (ou 1 "cube frais pelé)
- compléments facultatifs:
- 1 cuillère à soupe de cœurs de chanvre
- 2 tasses de verdure
- 2 portions de protéines en poudre préférées * (j'aime la vanille ou sans saveur ici)

INSTRUCTIONS

1. Ajoutez le tout au mélangeur, en commençant par les fruits et en terminant par le liquide et la poudre de protéines. Si vous utilisez NutriBullet, assurez-vous de suivre l'ordre des ingrédients énumérés.

2. Mélanger jusqu'à consistance lisse. Ajustez le liquide ou ajoutez de la glace pour obtenir la consistance désirée.

3. Divisez en smoothie dans deux verres, dégustez!

46. Smoothie aux superaliments pourpre

INGRÉDIENTS

- 1/3 tasse de liquide au choix (eau de coco, lait non laitier non sucré, eau)
- 1/3 tasse de cerises surgelées
- 1/3 tasse de fraises entières surgelées
- 1/4 tasse de bleuets surgelés
- 1 cuillère à café de poudre d'açai
- compléments facultatifs:
- poudre de protéine
- beurre de noisette
- épinard
- graines de lin moulues
- poudre de maca

INSTRUCTIONS

1. Ajoutez tous les ingrédients dans votre mixeur. Si vous utilisez un petit mixeur tel qu'un NutriBullet, ajoutez vos compléments en dernier. Mélanger les ingrédients

ensemble jusqu'à consistance lisse. Ajustez le liquide au besoin à la consistance désirée.

47.PACK CONGÉLATEUR SMOOTHIE ANTIOXYDANT

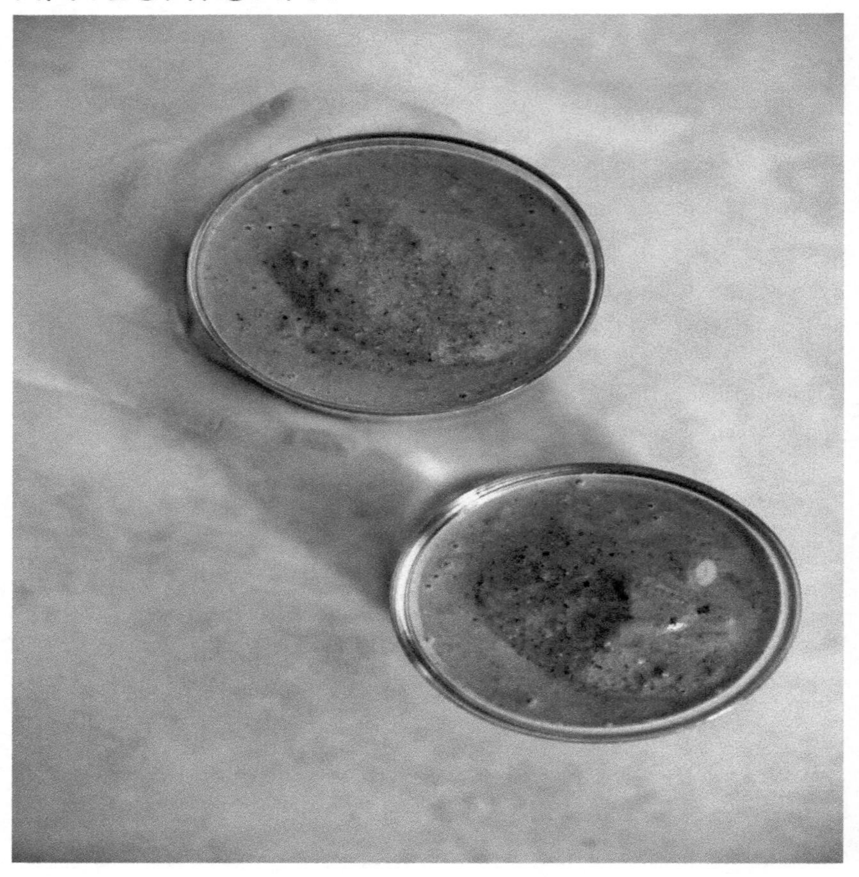

INGRÉDIENTS

- 1 tasse (5 onces) de baies surgelées
- 1 banane, tranchée
- 1/2 tasse de bébés épinards
- 1 cuillère à soupe de graines de lin
- 1 cuillère à soupe de cacao en poudre
- 1 cuillère à soupe de sirop d'érable
- 1 tasse de lait d'amande (plus au besoin)
- 1 cuillère à soupe de peptides de collagène (facultatif)

INSTRUCTIONS

Pour faire des packs de congélation:

2. Placez tous les ingrédients, sauf le lait d'amande, dans un sac allant au congélateur. Congeler jusqu'au moment de l'emploi, jusqu'à 1 mois.

À mélanger:

3. Mélangez tous les ingrédients, y compris le

lait d'amande, dans un mélangeur à grande vitesse.

4. Mélanger jusqu'à consistance crémeuse, en ajoutant du lait d'amande supplémentaire si nécessaire.

48. SMOOTHIE AU CAFÉ ET À LA BANANE

INGRÉDIENTS

- 1/2 tasse de lait d'amande non sucré ou de lait au choix
- 1/2 tasse de café biologique fraîchement moulu ou d'infusion froide, mettre au réfrigérateur pendant 10 minutes
- 1 banane surgelée
- 1 cuillère à soupe de poudre de protéine (j'aime les peptides de collagène Vital Proteins)
- 1/2 cuillère à soupe de graines de chia
- Facultatif: 1 cuillère à café de miel ou d'édulcorant au choix
- Facultatif: poignée de glaçons

INSTRUCTIONS

1. Mélangez tous les ingrédients dans un mélangeur à grande vitesse.
2. Mélanger jusqu'à consistance crémeuse.
3. Goûtez et ajoutez un édulcorant

supplémentaire si nécessaire.

49.SUPERFOOD SMOOTHIE AUX FRUITS D'ÉTÉ

INGRÉDIENTS

- 1/2 banane surgelée
- 1 kiwi, peau pelée
- 1/4 tasse d'ananas surgelé
- 1/2 tasse de fraise surgelée
- 1/4 tasse de pêches surgelées
- 1/2 tasse de framboises surgelées
- 1 cuillère à café de gingembre râpé, plus au goût
- 1 cuillère à café de graines de chia
- 2 tasses de lait de cajou ou de lait de noix au choix, ajoutez-en selon la consistance désirée
- 1/4 cuillère à café de cannelle, plus pour la garniture
- Facultatif: 1/4 tasse de chou-fleur, congelé
- Facultatif: 1 cuillère à café de pollen d'abeille, mélangé ou utilisé comme garniture
- Facultatif: 1 cuillère à café de graines de lin moulues

- Facultatif: 1 cuillère à soupe de poudre de protéine au choix

INSTRUCTIONS

1. Placez tous les ingrédients dans un mélangeur à grande vitesse. Mélanger jusqu'à consistance lisse. S'il est trop épais, ajoutez plus de liquide et mélangez plus longtemps. Servez tout de suite!

50 PACK CONGÉLATEUR SMOOTHIE ANTI-INFLAMMATOIRE

INGRÉDIENTS

- 1 tasse (5 onces) de mangue surgelée
- 1/2 tasse (2 onces) de fleurons de chou-fleur surgelés
- 1 banane, tranchée
- 1 morceau de gingembre frais, pelé
- 1 morceau de curcuma frais, pelé
- une pincée de poivre noir frais
- pincée de cannelle
- 1 tasse de lait de coco en conserve
- 1/2 tasse d'eau
- 1 cuillère à soupe de peptides de collagène (facultatif)

INSTRUCTIONS

Pour faire des packs de congélation:

2. Placez tous les ingrédients sauf le lait de coco et l'eau dans un sac allant au congélateur. Congeler jusqu'au moment de l'emploi,

jusqu'à 1 mois.

À mélanger:

3. Mélangez tous les ingrédients, y compris le lait de coco et l'eau dans un mélangeur à grande vitesse.

CONCLUSION

Que vous cherchiez un moyen d'ajouter un peu de nutrition à votre alimentation quotidienne ou que vous cherchiez à en savoir plus sur les smoothies pour commencer votre premier nettoyage, vous avez maintenant d'excellentes recettes et des conseils pour vous aider à démarrer. N'oubliez pas, cependant, de l'utiliser comme un guide général. Une fois que vous maîtrisez le mélange de saveurs, n'hésitez pas à créer vos propres mélanges en fonction de vos goûts et de vos objectifs de santé.

Mélanger jusqu'à consistance crémeuse, en ajoutant de l'eau supplémentaire si nécessaire.

Lightning Source UK Ltd.
Milton Keynes UK
UKHW020656140521
383710UK00001B/78